3/18

S0-BLT-093

RECETAS
PARA CADA DÍA

Abreviaturas

cm	= centímetros
g	= gramos
G	= grasas
HC	= hidratos de carbono
kcal	= kilocalorías
kg	= kilos
kJ	= kilojulios
ml	= mililitros
P	= proteínas

Notas

• En este libro las temperaturas del horno se dan para horno eléctrico con radiación de calor superior e inferior. Si su horno es de convección, reduzca 20 °C las temperaturas.

• Cuando en la lista de ingredientes aparece «pimienta», y no se da otra indicación, se refiere siempre a pimienta negra recién molida. En general, las especias se deben moler justo antes de utilizarlas para que no pierdan aroma.

Créditos fotográficos

Studio Klaus Arras: págs. 3, 4, 6, 9, 15, 27, 28, 35, 46, 49, 51, 57, 59, 63, 65, 69, 72, 77, 85, 88, 91, 97, 99, 105, 115, 123, 126
TLC Fotostudio: el resto de las fotografías

Ilustraciones (cuchillo y tenedor): © vectormaker1 - Fotolia.com

RECETAS
PARA CADA DÍA

ÍNDICE

HORTALIZAS

Tallarines con boloñesa de lentejas

Sopa de coco con coliflor

Espaguetinis con salsa de gorgonzola

Espaguetinis con guindilla y espinacas

Endibias gratinadas con salsa de yogur

Sopa de castañas y setas con patatas

Patatas con quark a las hierbas

Tortilla de queso brocciu

Espaguetis al pesto

Albóndigas de espinacas y ricota

Tallarines con hortalizas mediterráneas

Tortillas francesas

Albóndigas de pan con salsa de rebozuelos

Ñoquis al gorgonzola

Cuscús con calabaza y aliño de yogur

Capuchino de guisantes y menta

Wok rápido con leche de coco

Hamburguesas de patata y mozzarella

Espaguetis con calabacín y tofu

Tallarines
CON BOLOÑESA DE LENTEJAS

PARA 4 PERSONAS

400 g de tallarines

Sal

2 cebollas pequeñas

2 cucharadas de aceite de oliva

125 g de lentejas rojas

400 ml de caldo de verduras
   caliente

4 cebolletas

2 dientes de ajo

600 g de tomate troceado
   en conserva

80 ml de nata líquida

Pimienta

Cayena molida

1 cucharada de vinagre balsámico

4 cucharadas de parmesano
   recién rallado

Cueza los tallarines al dente en abundante agua con sal. Mientras tanto, pele las cebollas y píquelas.

Caliente el aceite en una cazuela y rehogue la cebolla. Eche las lentejas y rehóguelas también brevemente. Vierta el caldo y lleve a ebullición. Déjelo cocer a fuego medio unos 10 minutos, hasta que las lentejas estén casi hechas.

Limpie las cebolletas, lávelas y córtelas en rodajitas. Pele los ajos y píquelos bien.

Eche el tomate en la cazuela, deje que hierva y agregue la cebolleta, el ajo y la nata. Deje cocer la salsa a fuego lento unos minutos y, por último, sazónela con sal, pimienta, cayena y el vinagre balsámico.

Escurra la pasta y sírvala mezclada con la salsa y con el parmesano esparcido por encima.

Tiempo de preparación:
unos 30 minutos
Por ración, aprox.: 702 kcal/2939 kJ
25 g P, 17 g G, 110 g HC

Sopa de coco
CON COLIFLOR

PARA 4 PERSONAS

2 cebolletas

3 dientes de ajo

2 cucharadas de aceite de oliva

100 g de maíz en conserva

Sal

Guindilla en copos

600 ml de caldo de verduras

400 g de coliflor en ramitos
   congelada

200 ml de leche de coco

2 cucharaditas de zumo de lima

2 tallos de cilantro

Limpie las cebolletas, lávelas y córtelas en rodajitas. Pele los ajos y córtelos en láminas. Caliente el aceite en una sartén y sofría la cebolleta y el ajo junto con el maíz. Sazónelo con sal y guindilla en copos.

En una cazuela, lleve a ebullición el caldo de verduras con la coliflor y déjelo cocer 10 minutos sin tapar. Vierta la leche de coco, tritúrelo todo bien y aderécelo con sal y el zumo de lima.

Arranque las hojitas de cilantro, lávelas y séquelas con papel de cocina. Incorpórelas a la mezcla de maíz y luego añádalo a la sopa.

Tiempo de preparación:
unos 20 minutos (más el tiempo de cocción)
Por ración, aprox.: 134 kcal/561 kJ
7 g P, 12 g G, 6 g HC

Espaguetinis
CON SALSA DE GORGONZOLA

Pele el ajo y pártalo por la mitad. Vierta el caldo y la nata en una cazuela, eche el ajo y deje que hierva a fuego medio 10 minutos, hasta que se reduzca. En una olla grande, cueza los espaguetinis al dente en abundante agua con sal.

Mientras tanto, trocee las nueces, tuéstelas en una sartén y luego resérvelas en un cuenco. Deseche las frambuesas que estén feas y limpie con cuidado las restantes. Lave el perejil, sacúdalo para secarlo y pique bien las hojitas. Lave el limón con agua caliente, séquelo y ralle la piel; exprímalo hasta obtener 2 cucharadas de zumo.

Aparte la salsa del fuego, retire el ajo, eche el gorgonzola cortado en trocitos y remueva bien hasta que se haya derretido. Añada el zumo y la ralladura de limón, y salpimiente la salsa.

Escurra un poco los espaguetinis y mézclelos con la salsa de gorgonzola. Incorpore el perejil y las frambuesas, esparza por encima las nueces tostadas y sírvalo.

PARA 4 PERSONAS

1 diente de ajo
250 ml de caldo de verduras
100 ml de nata líquida
400 g de espaguetinis
Sal
60 g de nueces
125 g de frambuesas
1 manojo de perejil
1 limón pequeño de cultivo
    biológico
150 g de gorgonzola
Pimienta

Tiempo de preparación:
unos 30 minutos
Por ración, aprox.: 650 kcal/2721 kJ
24 g P, 30 g G, 69 g HC

Espaguetinis con
GUINDILLA Y ESPINACAS

PARA 4 PERSONAS

300 g de espinacas tiernas

1 guindilla roja fresca

4 dientes de ajo

400 g de espaguetinis

Sal

150 ml de aceite de oliva

50 g de semillas de sésamo
   blanco peladas

Pimienta

Lave las espinacas y escúrralas un poco. Lave la guindilla, pártala por la mitad, quítele las semillas y píquela (utilice guantes para ello). Pele los ajos y píquelos también.

Cueza la pasta al dente en agua con sal siguiendo las instrucciones del envase. Mientras tanto, caliente el aceite en una sartén y sofría la guindilla. Añada el ajo y rehóguelo a fuego lento, removiendo. Agregue el sésamo y sofríalo unos 2 minutos, removiendo continuamente. Incorpore las espinacas y deje que se ablanden.

Pase la pasta a un escurridor y escúrrala. Échela en la sartén y mézclelo todo bien. Salpimiéntelo al gusto y sírvalo.

→ SUGERENCIA

Esta receta también queda bien con rúcula en lugar de espinacas. Para prepararla, limpie la rúcula, lávela y quítele los tallos duros. Échela en la sartén junto con los espaguetinis escurridos, y mézclelo todo con rapidez para que la rúcula no se ablande demasiado.

Tiempo de preparación:
unos 25 minutos
Por ración, aprox.: 373 kcal/1562 kJ
14 g P, 37 g G, 70 g HC

Endibias gratinadas
CON SALSA DE YOGUR

PARA 4 PERSONAS

4 endibias

8 lonchas de queso suave
   y mantecoso

1 cucharada de mantequilla

1 cebolla

300 g de yogur

8 cucharadas de vino blanco

1 naranja

Sal

Pimienta

Cayena molida

Nuez moscada rallada

½ manojo de perejil picado

60 g de parmesano recién rallado

Limpie las endibias, quíteles el troncho amargo, pártalas por la mitad y envuélvalas en las lonchas de queso. Colóquelas en un molde refractario engrasado con la mantequilla.

Pele la cebolla, píquela y mézclela con el yogur, el vino y la naranja fileteada y cortada en trocitos. Sazone esta crema con sal, pimienta, cayena, nuez moscada y el perejil.

Rocíe las endibias con la salsa de yogur y esparza el parmesano por encima. Hornéelas unos 15 minutos a 190 °C.

Tiempo de preparación:
unos 15 minutos (más el tiempo
de cocción)
Por ración, aprox.: 367 kcal/1537 kJ
22 g P, 24 g G, 10 g HC

→ NOTA

La endibia contiene mucha vitamina A, y con este plato habrá cubierto el 50 % de la cantidad diaria que requiere el cuerpo.

Sopa de castañas
Y SETAS CON PATATAS

PARA 4 PERSONAS

800 g de patatas pequeñas
  para cocer
300 g de setas shiitake
  o setas de cardo
1 cebolla pequeña
2 ramas de apio
2 cucharadas de mantequilla
1 cucharada de harina
100 ml de caldo de verduras
  caliente
100 ml de vino blanco seco
2 cucharadas de romero seco
Sal
1 pizca de azúcar
300 g de castañas (cocidas
  y envasadas al vacío)
150 ml de nata líquida
Pimienta

Lave bien las patatas, límpielas con un cepillo y cuézalas con la piel. Mientras tanto, limpie las setas y córtelas en trocitos. Pele la cebolla y píquela bien. Lave el apio, límpielo y córtelo en rodajas finas.

Derrita la mantequilla en una cazuela y rehogue el apio y la cebolla unos 5 minutos, removiendo de vez en cuando. Añada la harina y remueva bien, hasta que se haya disuelto y quede brillante.

A continuación, vierta el caldo y remuévalo todo con las varillas para que la harina no forme grumos. Vierta el vino y luego añada el romero y las setas. Sazónelo con sal y el azúcar, y deje que hierva brevemente.

Trocee las castañas y échelas en la cazuela. Vierta la nata y deje que la sopa se caliente bien. Sazónela con pimienta al gusto.

Sirva la sopa acompañada de las patatas cocidas.

Tiempo de preparación:
unos 30 minutos
Por ración, aprox.: 467 kcal/1955 kJ
9 g P, 17 g G, 67 g HC

Patatas
CON QUARK A LAS HIERBAS

Lave bien las patatas y cuézalas sin pelar en agua con un poco de sal.

Mientras tanto, limpie las cebolletas, lávelas y córtelas en rodajas finas. Mézclelas con las hierbas, la mostaza, el aceite de linaza y el quark. Pele el ajo, májelo e incorpórelo. Salpimiente el quark a las hierbas y sírvalo con las patatas cocidas.

PARA 4 PERSONAS

1 kg de patatas pequeñas
   para cocer
Sal
4 cebolletas
60 g de hierbas aromáticas
   variadas picadas (congeladas)
½ cucharadita de mostaza
50 ml de aceite de linaza
500 g de quark
1 diente de ajo
Pimienta

SUGERENCIA

La clave de este sencillo plato está en que las patatas sean de buena calidad. Pruebe con diferentes variedades.

Tiempo de preparación:
unos 25 minutos
Por ración, aprox.: 346 kcal/1449 kJ
14 g P, 15 g G, 38 g HC

Tortilla
DE QUESO BROCCIU

PARA 4 PERSONAS

8 huevos

Sal

Pimienta

1-2 cucharadas de menta picada,
y unas hojitas para adornar

400 g de queso brocciu o feta

3 cucharadas de aceite de oliva

Bata bien los huevos en un cuenco. Salpimiéntelos y añada la menta picada. Chafe el queso con un tenedor e incorpórelo al huevo batido.

Caliente el aceite de oliva en una sartén. Eche la mezcla de huevo y cuézala a fuego medio unos 10 minutos, hasta que cuaje. Dele la vuelta a la tortilla con cuidado y déjela unos minutos más para que termine de cuajar. No debe quemarse ni tampoco quedar demasiado seca.

Cuando la tortilla esté lista, córtela en trozos y sírvala caliente. Adórnela con unas hojitas de menta y sírvala con pan de centeno o acompañada de una ensalada de canónigos.

→ NOTA

El brocciu es un queso fresco típico de Córcega, hecho a base de leche de oveja o de cabra, que se suele utilizar como relleno, por ejemplo, de tortillas. Puede sustituirse por brousse, un queso fresco francés.

Tiempo de preparación:
unos 25 minutos
Por ración, aprox.: 450 kcal/1884 kJ
30 g P, 25 g G, 4 g HC

Espaguetis
AL PESTO

Lave la albahaca, séquela con papel de cocina, arránquele las hojas y córtelas en tiras con un cuchillo grande. Tueste los piñones en una sartén con el fuego al mínimo unos minutos, sin dejar que se doren, y luego páselos a un plato para que se enfríen.

Pele los ajos y píquelos bien. En el mortero, maje la albahaca con los piñones, el ajo y 1 pizca de sal hasta obtener una pasta, o bien triture todos estos ingredientes.

Vaya incorporando poco a poco 50 g del parmesano y el aceite, removiendo hasta que el pesto quede cremoso.

Mientras tanto, ponga a hervir los espaguetis en abundante agua con un poco de sal y cuézalos al dente siguiendo las instrucciones del envase. Escúrralos bien, mézclelos con el pesto y un poco del líquido de cocción, y sírvalos enseguida con el resto del parmesano esparcido por encima.

PARA 4 PERSONAS

2 manojos de albahaca
  (unos 40 g)
2 cucharadas de piñones
3 dientes de ajo
Sal
100 g de parmesano
  recién rallado
125 ml de aceite de oliva
400 g de espaguetis

→ NOTA

En su país de origen, Italia, el pesto se diluye un poco con unas cucharadas del líquido de cocción de los espaguetis. Esta salsa se conserva por lo menos 1 semana en el frigorífico, en un tarro de vidrio, cubierta con un poco de aceite de oliva.

Tiempo de preparación:
unos 25 minutos
Por ración, aprox.: 730 kcal/3056 kJ
18 g P, 40 g G, 77 g HC

Albóndigas
DE ESPINACAS Y RICOTA

PARA 4 PERSONAS

700 g de espinacas

150 g de ricota
  u otro queso fresco

3 yemas de huevo

60 g de harina

Sal

Pimienta

Nuez moscada rallada

3 cucharadas de mantequilla,
  y un poco más para engrasar

60 g de parmesano

Limpie y lave bien las espinacas y escúrralas un poco. Cuézalas a fuego medio en una olla sin añadirles agua y luego páselas al escurridor. Exprímalas un poco con las manos, déjelas escurrir y píquelas bien.

En un cuenco, mezcle la ricota con las yemas y la harina hasta obtener una pasta lisa. Incorpore las espinacas y remueva bien la mezcla hasta que quede homogénea. Sazónela con sal, pimienta y nuez moscada.

Ponga a hervir agua con sal en una olla. Con una cuchara, haga bolas de pasta de espinacas y échelas en el agua. Cuézalas a fuego medio unos 10 minutos, hasta que emerjan a la superficie.

Saque las albóndigas de la olla, escúrralas y páselas a una fuente refractaria previamente engrasada. Reparta por encima de ellas la mantequilla en trocitos y el parmesano rallado. Gratine las albóndigas de espinacas y ricota unos 3 minutos, y sírvalas con una ensalada de tomate.

Tiempo de preparación:
unos 30 minutos (más el tiempo
de cocción)
Por ración, aprox.: 535 kcal/2240 kJ
18 g P, 45 g G, 13 g HC

Tallarines con
HORTALIZAS MEDITERRÁNEAS

Lave la berenjena, los calabacines y los pimientos, límpielos y córtelos en dados de unos 1,5 cm. Pele las cebollas y píquelas. Pele los ajos y córtelos en láminas. Lave el romero y el tomillo, arránqueles las hojitas y píquelas.

Caliente 3 cucharadas del aceite en una sartén grande y honda y fría la berenjena, sin dejar de remover, hasta que quede tierna y oscura. Si fuera necesario, añada más aceite. Saque la berenjena de la sartén y resérvela.

Caliente el resto del aceite en la sartén. Eche el calabacín, el pimiento, la cebolla, el ajo, el romero y el tomillo, y rehóguelo todo, sin dejar de remover, hasta que esté hecho. Incorpore la berenjena, tape la sartén y déjelo a fuego lento unos 10 minutos. Mientras tanto, cueza la pasta al dente en abundante agua con sal siguiendo las instrucciones del envase.

Salpimiente las hortalizas generosamente. Escurra los tallarines, mézclelos con las hortalizas y sírvalos.

PARA 4 PERSONAS

1 berenjena
2 calabacines pequeños
2 pimientos rojos pequeños
2 cebollas pequeñas
2 dientes de ajo
1 ramita de romero
1 ramita de tomillo
Unas 5 cucharadas de aceite
    de oliva
400 g de tallarines
Sal
Pimienta

Tiempo de preparación:
unos 30 minutos
Por ración, aprox.: 513 kcal/2148 kJ
15 g P, 17 g G, 74 g HC

✕

Tortillas
FRANCESAS

PARA 4 PERSONAS

8 huevos

Sal

Pimienta blanca

4 cucharadas de mantequilla

Precaliente el horno a 50 °C. Casque los huevos en un bol y bátalos un poco. Salpimiéntelos.

Eche 1 cucharada de la mantequilla en una sartén antiadherente y deje que se derrita a fuego medio. Cuando la mantequilla empiece a espumar, vierta ¼ parte del huevo batido. Haga bascular la sartén hacia todos los lados para que el contenido se reparta uniformemente, y espere unos 3 minutos para que cuaje.

Vuelva a bascular la sartén para que la tortilla se despegue del fondo. Dele la vuelta y prosiga con la cocción 1 o 2 minutos.

Saque la tortilla de la sartén, tápela y resérvela caliente en el horno. Prepare 3 tortillas más del mismo modo.

→ VARIACIÓN

Eche 4 cucharadas de parmesano recién rallado en los huevos batidos. Pique 8 tomates secos en aceite y 1 puñado de aceitunas negras. Corte un poco de albahaca en tiras. Reparta ¼ parte de todos los ingredientes sobre cada tortilla tras 2 minutos de cocción.

Tiempo de preparación: unos 5 minutos (más el tiempo de cocción)
Por ración, aprox.: 260 kcal/1089 kJ
16 g P, 22 g G, 1 g HC

Albóndigas de pan
CON SALSA DE REBOZUELOS

Prepare las albóndigas de pan (vea la receta más abajo). Pele la cebolla y el ajo y píquelos. Caliente el aceite en una sartén y rehóguelos sin dejar que se doren.

Limpie los rebozuelos, échelos en la sartén y sofríalos 3 minutos. Vierta el vino y el caldo, y deje que se reduzcan un poco.

Disuelva la maicena en la nata, eche la mezcla en la sartén y deje que hierva hasta obtener una salsa espesa. Salpimiéntela e incorpore el perejil. Sirva las albóndigas de pan rociadas con la salsa de rebozuelos y acompañadas de una ensalada verde.

PARA 4 PERSONAS

8 albóndigas de pan
  (ver receta más abajo)
1 cebolla
1 diente de ajo
2 cucharadas de aceite
400 g de rebozuelos frescos
100 ml de vino blanco
150 ml de caldo de verduras
1 cucharada de maicena
250 ml de nata líquida
Sal
Pimienta
2 cucharadas de perejil
  o cebollino picados

→ ALBÓNDIGAS DE PAN

Para preparar las albóndigas de pan, ponga a remojar 4 panecillos del día anterior bien troceados en 160 ml de leche templada. Exprima el pan con las manos y mézclelo con 1 cebolla picada, 2 huevos, 1 cucharada de mantequilla, 1 o 2 cucharadas de harina, sal, pimienta y nuez moscada hasta obtener una masa ligada. Forme albóndigas con las manos y cuézalas unos 20 minutos a fuego muy lento en agua con un poco de sal.

Tiempo de preparación:
unos 20 minutos
Por ración, aprox.: 595 kcal/2491 kJ
16 g P, 35 g G, 48 g HC

Ñoquis
AL GORGONZOLA

PARA 4 PERSONAS

300 g de ramitos de brócoli

Sal

1 cebolla

1 diente de ajo

1 cucharada de aceite vegetal
   neutro

1-2 cucharaditas de concentrado
   de tomate

100 ml de vino blanco seco

300 g de gorgonzola cremoso

200 ml de nata líquida

250 ml de leche

400 g de ñoquis frescos

1-2 cucharaditas de maicena

Pimienta

1 pizca de azúcar

1 pizca de guindilla molida

Lave el brócoli y escáldelo unos minutos en un poco de agua con sal. Escúrralo y resérvelo caliente. Pele la cebolla y el ajo y píquelos. Caliente el aceite en una cazuela y rehogue la cebolla y el ajo sin dejar que se doren. Añada el concentrado de tomate y sofríalo un poco.

Vierta el vino y deje que se reduzca casi por completo. Corte el gorgonzola en trocitos y reserve 2 cucharadas. Eche la nata, la leche y el gorgonzola en la cazuela, y déjelo cocer a fuego lento unos 3 minutos. Mientras tanto, cueza los ñoquis al dente en abundante agua con sal siguiendo las instrucciones del envase.

Disuelva la maicena en un poco de agua y espese la salsa de tomate con ella, sin dejar de remover. Sazónela con sal, pimienta, el azúcar y la guindilla. Escurra bien los ñoquis, repártalos en platos con la salsa, y sírvalos con el brócoli y el gorgonzola reservados esparcidos por encima.

Tiempo de preparación:
unos 25 minutos
Por ración, aprox.: 842 kcal/3525 kJ
26 g P, 44 g G, 81 g HC

Cuscús con calabaza
Y ALIÑO DE YOGUR

PARA 4 PERSONAS

Para el cuscús

200 g de sémola para cuscús

300 ml de caldo de verduras
   hirviendo

1 calabaza hokkaido

2 cebollas

2 pimientos rojos

Aceite, para freír

Sal y pimienta

½ cucharadita de jengibre molido

½ cucharadita de cilantro molido

1 cucharada de perejil o cilantro
   picados, para adornar

Para el aliño de yogur

1 diente de ajo

150 g de yogur

1 pizca de azúcar

1 cucharadita de aceite de oliva

2 cucharadas de cebollino
   o perejil picados

Sal y pimienta

1 chorrito de zumo de limón

Tiempo de preparación:
unos 30 minutos
Por ración, aprox.: 286 kcal/1197 kJ
9 g P, 5 g G, 50 g HC

Ponga la sémola en un bol y rocíela con el caldo. Tápela y déjela reposar de 5 a 10 minutos.

Parta la calabaza por la mitad, quítele las fibras del interior, pélela y córtela en bastoncillos. Pele las cebollas, córtelas en rodajas y estas, a su vez, por la mitad. Parta los pimientos por la mitad, quíteles las semillas y las membranas blancas, lávelos y córtelos en tiras.

Caliente un poco de aceite a fuego medio en una sartén, y rehogue la calabaza, la cebolla y el pimiento entre 5 y 8 minutos sin dejar de remover. Sazone las hortalizas con sal, pimienta y el jengibre y el cilantro molidos. Vierta un poco de agua y déjelo cocer a fuego lento unos 10 minutos.

Mientras tanto, prepare el aliño. Pele el ajo, májelo y mézclelo con el yogur, el azúcar, el aceite de oliva y el cebollino. Aderece el aliño con sal, pimienta y el zumo de limón.

Para servirlo, reparta el cuscús entre los platos y ponga las hortalizas rehogadas en el centro. Rocíelo todo con el aliño de yogur y adórnelo con el perejil picado.

Capuchino
DE GUISANTES Y MENTA

Ponga los guisantes en una cazuela. Lave las patatas, pélelas, córtelas en trocitos y échelos en la cazuela. Vierta el caldo, llévelo a ebullición y deje que hierva a fuego lento de 15 a 20 minutos.

Aparte la cazuela del fuego y triture la sopa. Sazónela con sal, pimienta verde y el tabasco. Mezcle el yogur con la leche e incorpórelo a la sopa. Rectifique la sazón y añada la menta picada y el licor.

Monte la nata. Reparta la sopa en tazas altas y corone cada una con 1 nube de nata. Sirva cada capuchino adornado con 1 ramita de menta.

PARA 4 PERSONAS

400 g de guisantes congelados
2 patatas
450 ml de caldo de verduras
Sal
Pimienta verde
1 chorrito de tabasco
100 g de yogur
2 cucharadas de leche
4 cucharadas de menta picada
1 buen chorrito de licor de menta

Además

200 ml de nata líquida
    para montar
4 ramitas de menta, para adornar

Tiempo de preparación:
unos 10 minutos (más el tiempo de cocción)
Por ración, aprox.: 316 kcal/1323 kJ
7 g P, 18 g G, 21 g HC

Wok rápido
CON LECHE DE COCO

PARA 4 PERSONAS

1 kg de calabaza moscada
  (solo la pulpa)
2 cebollas
2 dientes de ajo
3 cucharadas de aceite de oliva
1 cucharadita de semillas de anís
1 cucharadita de comino
150 ml de leche de coco
100 g de anacardos
Sal
Pimienta
Cuñas de lima y hojas de cilantro,
  para adornar

Corte la calabaza en trozos del tamaño de un bocado. Pele las cebollas y los ajos; corte las cebollas en rodajas y pique los ajos.

Caliente el aceite a fuego medio en un wok. Eche la calabaza, la cebolla y el ajo, y rehóguelos unos 5 minutos sin dejar de remover. Añada las semillas de anís y el comino, y siga rehogándolo otros 2 minutos. Vierta la leche de coco y 100 ml de agua, y llévelo a ebullición. Tápelo y cuézalo unos 10 minutos, hasta que la calabaza esté tierna.

Por último, eche los anacardos y salpimiente. Reparta la mezcla entre los platos y sírvalos adornados con cuñas de lima y hojas de cilantro. Puede acompañarlo con arroz.

Tiempo de preparación:
unos 25 minutos
Por ración, aprox.: 352 kcal/1472 kJ
8 g P, 26 g G, 21 g HC

→ SUGERENCIA

Puede preparar este plato con cacahuetes en lugar de anacardos, pero tenga en cuenta que los cacahuetes deben ser sin sal.

Hamburguesas
DE PATATA Y MOZZARELLA

Pele las patatas y rállelas. Pele los ajos y píquelos bien o májelos. Mezcle la patata rallada con las yemas, la nata agria, la mitad del tomillo y del ajo, y salpimiéntelo.

Corte cada bola de mozzarella en 4 rodajas. Reboce cada una primero con la harina y luego con el huevo batido, y a continuación envuélvalas con la masa de patata. Fría las hamburguesas en aceite caliente hasta que estén doradas. Sírvalas acompañadas de una ensalada de tomate aderezada con el tomillo y el ajo restantes.

PARA 4 PERSONAS

500 g de patatas harinosas
2 dientes de ajo
2 yemas de huevo
2 cucharadas de nata agria
1 cucharadita de tomillo picado
Sal
Pimienta
2 bolas de mozzarella
3 cucharadas de harina
2 huevos batidos
Aceite, para freír

Tiempo de preparación:
unos 30 minutos
Por ración, aprox.: 328 kcal/1378 kJ
12 g P, 17 g G, 29 g HC

Espaguetis
CON CALABACÍN Y TOFU

PARA 4 PERSONAS

500 g de espaguetis de
 sémola de trigo duro
2 calabacines amarillos
2 calabacines verdes
½ manojo de perejil
1 ramita de tomillo
200 g de tofu ahumado
2 cebollas
1 diente de ajo
150 g de crema de anacardos
Aceite de oliva, para sofreír
1 cucharadita de zumo de limón
Sal
Pimienta

Cueza los espaguetis siguiendo las instrucciones del envase. Lave todos los calabacines, límpielos, rállelos y resérvelos.

Lave el perejil y el tomillo, sacúdalos para secarlos y píquelos. Corte el tofu en daditos. Pele las cebollas y el ajo y píquelos bien. Mezcle la crema de anacardos con 350 ml de agua.

Caliente un poco de aceite de oliva en una sartén y sofría el tofu junto con la cebolla y el ajo.

Vierta la crema de anacardos y el zumo de limón, y salpimiente al gusto. Incorpore el perejil, el tomillo y el calabacín, y deje que hierva brevemente. Mézclelo con los espaguetis y sírvalos.

Tiempo de preparación:
unos 30 minutos
Por ración, aprox.: 868 kcal/3634 kJ
32 g P, 41 g G, 89 g HC

PESCADO
Y MARISCO

Atún a la plancha con puré de patatas

Espárragos y salicornia con caballa ahumada

Salmón escalfado con salsa de eneldo

Tortillas Gordon Bennett

Salmón glaseado con zanahoria y menta

Potaje de bacalao a la catalana

Arroz con marisco y guindilla

Pescado con sésamo sobre fideos chinos

Filetes de atún en salsa de alcaparras

Dorada con puerros

Filetes de pescado con costra de avellana

Bacalao en lecho de calabaza

Bacalao con pasta en salsa de limón

Espaguetinis con salmón al hinojo

Bacalao con beicon y setas

Gambas al ajillo

Platija con gambitas

Salteado de espárragos con gambas

Lucioperca con lentejas rojas

Fideos salteados con gambas y piña

Atún a la plancha
CON PURÉ DE PATATAS

PARA 4 PERSONAS

800 g de patatas harinosas

Sal

40 g de mantequilla

1 diente de ajo

Pimienta

2 aguacates maduros

2 cucharadas de perifollo picado

4 filetes de atún (de unos 200 g)

2 cucharadas de aceite de oliva

Pimienta roja y cilantro,
    para adornar

Lave las patatas, pélelas, trocéelas y cuézalas en agua con un poco de sal. Luego escúrralas y cháfelas junto con la mantequilla para obtener un puré. Pele el ajo, májelo e incorpórelo. Salpimiente el puré de patatas.

Parta los aguacates por la mitad, deshuéselos, pélelos y córtelos en dados. Mézclelos cuidadosamente con el puré e incorpore por último el perifollo.

Lave los filetes de atún, séquelos con papel de cocina y píntelos con un poco del aceite de oliva. Salpimiéntelos. Pinte la plancha con el resto del aceite de oliva, caliéntela y ase los filetes brevemente por ambos lados, de modo que queden casi crudos. Sírvalos acompañados del puré de patatas y adornados con pimienta roja y cilantro.

Tiempo de preparación:
unos 30 minutos
Por ración, aprox.: 879 kcal/3680 kJ
50 g P, 62 g G, 30 g HC

Espárragos y salicornia
CON CABALLA AHUMADA

PARA 4 PERSONAS

500 g de espárragos verdes

1 manojo de rúcula

70 g de salicornia

8 cucharadas de caldo

5 cucharadas de aceite de oliva

2 cebolletas

1 manojo de perejil

3 cucharaditas de rábano picante
   (en conserva)

2 cucharadas de vinagre
   balsámico blanco

1 pizca de azúcar

Sal

Pimienta

300 g de filetes de caballa
   ahumada

Tiempo de preparación:
unos 30 minutos
Por ración, aprox.: 669 kcal/2801 kJ
45 g P, 44 g G, 21 g HC

Pele el tercio inferior de los espárragos, deseche los extremos leñosos y córtelos al bies en trozos de 3 cm. Lave la rúcula y la salicornia, y límpielas.

Caliente el caldo con 2 cucharadas del aceite de oliva y cueza los espárragos, tapados, 4 o 5 minutos. Limpie y lave las cebolletas, y corte las partes blanca y verde claro en rodajitas. Lave también el perejil, séquelo con papel de cocina, arranque las hojas y píquelas bien finas.

Prepare un aliño con el rábano picante, el vinagre, el resto del aceite, el azúcar, sal y pimienta. Mézclelo con los espárragos, la rúcula, la salicornia, la cebolleta y el perejil, y déjelo reposar 5 minutos. Trocee los filetes de caballa con las manos e incorpórelos con cuidado a la ensalada.

→ NOTA

La salicornia es una planta que crece en zonas donde se concentra agua salada. Es muy apreciada como acompañamiento de pescados o en ensalada.

Salmón escalfado
CON SALSA DE ENELDO

PARA 4 PERSONAS

4 filetes de salmón
  (de unos 250 g)
1 manojo de eneldo
500 ml de fondo de pescado
  (en conserva)
400 ml de vino blanco seco
2 rodajas de 1 limón de cultivo
  biológico
Sal
Pimienta
2 cucharadas de mantequilla
2 cucharadas de maicena
75 ml de nata líquida

Además

Eneldo y cuñas de limón,
  para adornar

Lave los filetes de salmón y séquelos con papel de cocina. Lave el eneldo, sacúdalo para secarlo, píquelo bien y resérvelo.

Ponga el fondo de pescado con el vino y las rodajas de limón en una cazuela grande, y llévelo a ebullición. Salpimiéntelo, baje el fuego y deje que siga cociendo.

Eche los filetes. El pescado debe quedar completamente cubierto; añada más líquido si fuera necesario. Escalfe el salmón unos 10 minutos; el líquido debe estar muy caliente pero sin llegar a hervir.

Derrita la mantequilla en una sartén, esparza la maicena por encima y sofríala unos 5 minutos sin dejar de remover. Tome 250 ml del líquido de cocción y viértalo en la sartén, removiendo vigorosamente con las varillas para evitar que se formen grumos. Vierta la nata y deje que hierva. Salpimiente la salsa al gusto y añada el eneldo reservado.

Sirva el salmón rociado con la salsa y adornado con eneldo y cuñas de limón. Acompáñelo de patata y verdura cocida, por ejemplo, brócoli.

Tiempo de preparación:
unos 25 minutos
Por ración, aprox.: 690 kcal/2889 kJ
46 g P, 45 g G, 7 g HC

Tortillas
GORDON BENNETT

Limpie las cebolletas, lávelas y séquelas con papel de cocina. Corte en rodajitas las partes blanca y verde claro. Compruebe que el pescado no tenga espinas y córtelo en trozos del tamaño de un bocado. Lave el limón con agua caliente, séquelo y ralle la piel.

Ponga los huevos con la leche en un bol y eche ½ cucharadita de sal y un poco de pimienta. Ralle el parmesano, agréguelo junto con la ralladura de limón y bátalo todo un poco con un tenedor.

Derrita la mantequilla a fuego medio en dos sartenes. Reparta la cebolleta y el pescado entre las sartenes y rehóguelos unos 5 minutos, hasta que todo quede bien recubierto de mantequilla. A continuación, reparta la mezcla de huevo entre las sartenes.

Deje cocer las tortillas unos 7 minutos, hasta que hayan cuajado por encima. Mientras tanto, lave el cebollino, sacúdalo para secarlo y píquelo. Corte cada una de las tortillas en 2 porciones y dispóngalas en platos. Esparza parmesano rallado por encima de ellas y adórnelas con el cebollino picado. Sirva las tortillas con ensalada y pan recién hecho.

PARA 4 PERSONAS

8 cebolletas
400 g de eglefino ahumado
  (o trucha ahumada)
1 limón de cultivo biológico
8 huevos
100 ml de leche
Sal
Pimienta
80 g de parmesano
4 cucharadas de mantequilla

Además

1 manojo de cebollino
Parmesano rallado, para esparcir

Tiempo de preparación:
unos 25 minutos
Por ración, aprox.: 450 kcal/1884 kJ
44 g P, 27 g G, 7 g HC

Salmón glaseado
CON ZANAHORIA Y MENTA

PARA 4 PERSONAS

500 g de zanahorias

4 cucharadas de aceite de oliva

2 cucharadas de miel

1 cucharada de mostaza de Dijon

2 cucharadas de zumo de lima

4 filetes de salmón
  (de unos 150 g)

Sal

Pimienta

½ cucharadita de cilantro molido

¼ de cucharadita de comino

1 pizca de canela

3 cucharadas de menta picada

4 cucharadas de almendra
  fileteada

Limpie las zanahorias, pélelas, lávelas y córtelas a lo largo en láminas. Caliente 1 cucharada del aceite en una sartén y saltee la zanahoria brevemente. Baje el fuego y prosiga con la cocción de 3 a 5 minutos, hasta que la zanahoria se empiece a ablandar.

Mientras tanto, prepare la marinada. Para ello, mezcle en un cuenco 2 cucharadas del aceite con la miel, la mostaza y 1 cucharada del zumo de lima. Lave los filetes de salmón, séquelos con papel de cocina y páselos por la marinada.

Lleve la zanahoria hacia el borde de la sartén y ponga el pescado en el centro. Salpimiéntelo y áselo unos 7 minutos por ambos lados, hasta que esté dorado.

En otro cuenco, mezcle el resto del aceite y del zumo de lima con las especias, la menta y la almendra. Retire el pescado de la sartén y resérvelo caliente.

Mezcle bien la salsa de lima y especias con la zanahoria y salpimiente. Sirva el salmón en un lecho de zanahoria, acompañado de chapata recién hecha.

Tiempo de preparación:
unos 30 minutos
Por ración, aprox.: 635 kcal/2659 kJ
47 g P, 32 g G, 57 g HC

Potaje de bacalao
A LA CATALANA

PARA 4 PERSONAS

4 tomates

2 cebollas pequeñas

3 dientes de ajo

6 cucharadas de aceite de oliva

1 cucharadita de pimentón
   ahumado

1 hoja de laurel

1 pizca de azafrán

800 ml de caldo de pollo

120 g de espinacas tiernas

400 g de garbanzos cocidos

600 g de lomo de bacalao fresco

Sal

Pimienta

Haga un corte en forma de cruz en la base de los tomates, escáldelos, escúrralos, páselos por agua fría y pélelos. A continuación, píquelos bien.

Pele las cebollas y píquelas. Pele los ajos y córtelos en láminas. Rehogue ambos en el aceite de oliva y luego añada el tomate.

Sazónelo con el pimentón, el laurel y el azafrán. Vierta el caldo y deje que hierva 10 minutos a fuego lento.

Limpie las espinacas y lávelas. Enjuague los garbanzos y déjelos escurrir. Lave el bacalao, séquelo con papel de cocina y córtelo en trozos de unos 2 cm. Échelo en el caldo, junto con las espinacas y los garbanzos, y déjelo cocer a fuego lento de 5 a 7 minutos. Salpimiéntelo.

Reparta el potaje de bacalao en platos hondos o cuencos individuales y sírvalo con una nube de alioli, si lo desea.

Tiempo de preparación:
unos 30 minutos
Por ración, aprox.: 669 kcal/2801 kJ
45 g P, 44 g G, 21 g HC

Arroz con marisco
Y GUINDILLA

Hierva el arroz siguiendo las instrucciones del envase y resérvelo. Lave las guindillas, quíteles las semillas y córtelas en aros.

Caliente el aceite en el wok y saltee el marisco unos instantes a fuego vivo. Eche los guisantes y los brotes, saltéelos, añada el arroz y remuévalo todo bien. Aderécelo con las tres salsas y, por último, incorpore la guindilla.

Si el arroz empezara a pegarse, vierta un poco de agua.

PARA 4 PERSONAS

250 g de arroz de grano largo

4 guindillas verdes medianas
   poco picantes

4 cucharadas de aceite vegetal

400 g de marisco variado, limpio

100 g de guisantes congelados

200 g de brotes de soja

4 cucharadas de salsa de pescado

2 cucharadas de salsa de ostras

1 cucharadita de salsa agridulce

Tiempo de preparación:
unos 30 minutos
Por ración, aprox.: 365 kcal/1528 kJ
23 g P, 14 g G, 35 g HC

Pescado con sésamo
SOBRE FIDEOS CHINOS

PARA 4 PERSONAS

250 g de fideos chinos

40 g de jengibre fresco

8 cucharadas de semillas
de sésamo

800 g de lomo de abadejo

4 cucharadas de mantequilla

Sal

Pimienta

1 diente de ajo

4 cebolletas

Precaliente el horno a 70 °C. Cueza los fideos siguiendo las instrucciones del envase y déjelos escurrir. Pele el jengibre y córtelo en láminas finas. Ponga el sésamo en un plato hondo. Corte el pescado en 4 rodajas del mismo tamaño y rebócelas por un lado con el sésamo.

Caliente 2 cucharadas de la mantequilla en una sartén y baje el fuego de inmediato. Ponga el pescado en la sartén, con el lado del sésamo hacia abajo, y fríalo 3 o 4 minutos; salpiméntelo y dele la vuelta con cuidado. Eche el resto de la mantequilla y el jengibre en la sartén, y deje que el pescado se dore por el otro lado otros 3 o 4 minutos.

Retire el pescado de la sartén y resérvelo caliente en el horno. Pele el ajo y córtelo en láminas. Limpie las cebolletas, lávelas y córtelas en rodajitas. Eche el ajo y la cebolleta en la sartén y rehóguelos brevemente. A continuación, incorpore los fideos, saltéelos agitando la sartén y salpiméntelos. Sirva el pescado sobre un lecho de fideos.

Tiempo de preparación:
unos 30 minutos
Por ración, aprox.: 539 kcal/2257 kJ
43 g P, 20 g G, 44 g HC

Filetes de atún
EN SALSA DE ALCAPARRAS

PARA 4 PERSONAS

4 patatas grandes
Sal
4 filetes de atún (de 130 g)
6 cucharaditas de zumo de lima
Pimienta
½ manojo de perejil
30 g de mantequilla
100 ml de vino blanco
40 g de alcaparras escurridas
1 cucharada de ralladura de lima
1 cucharadita de azúcar
1 lima de cultivo biológico
   en rodajas, para adornar

Precaliente el horno a 70 °C. Lave las patatas, pélelas, córtelas en cuartos y cuézalas en agua con un poco de sal. Aderece el pescado con 4 cucharaditas del zumo de lima, sal y pimienta. Lave el perejil, sacúdalo para secarlo y pique bien las hojitas. Derrita la mantequilla en una sartén y fría los filetes de atún 1 o 2 minutos por cada lado.

Sáquelos de la sartén y resérvelos calientes en el horno. Eche en la sartén el vino, el resto del zumo de lima, el perejil, las alcaparras y la ralladura de lima, deje que hierva y sazónelo con sal, pimienta y el azúcar. Sirva los filetes de atún rociados con esta salsa y adornados con rodajas de lima. Acompáñelos con las patatas cocidas.

Tiempo de preparación:
unos 30 minutos
Por ración, aprox.: 442 kcal/1851 kJ
30 g P, 25 g G, 16 g HC

Dorada
CON PUERROS

Lave los filetes de dorada, séquelos con papel de cocina, quíteles las espinas y córtelos en trozos de 3 cm. Lave las zanahorias, pélelas y córtelas en láminas largas. Limpie los puerros, lávelos, séquelos y córtelos en tiras de unos 15 cm de largo.

Caliente 2 cucharadas del aceite en el wok y fría los filetes de dorada solo por el lado de la piel; retírelos del wok y resérvelos. Caliente el resto del aceite en el wok, saltee las hortalizas a fuego vivo y vierta las tres salsas.

Vuelva a poner los filetes de dorada en el wok y mézclelo todo con mucho cuidado. Lave el cilantro, sacúdalo para secarlo, arranque las hojitas, píquelas e incorpórelas a la mezcla del wok. Procure que la salsa no se reduzca demasiado; si fuera necesario, vierta un poco de agua.

PARA 4 PERSONAS

4 filetes de dorada con la piel
 (de 120 g)
6 zanahorias
4 puerros
4 cucharadas de aceite vegetal
2 cucharadas de kétchup
4 cucharadas de salsa agridulce
2 cucharadas de salsa de pescado
2 tallos de cilantro

Tiempo de preparación:
unos 25 minutos
Por ración, aprox.: 391 kcal/1637 kJ
31 g P, 16 g G, 15 g HC

Filetes de pescado
CON COSTRA DE AVELLANA

PARA 4 PERSONAS

2 cebollas

2 dientes de ajo

1 limón de cultivo biológico

4 cucharadas de aceite de oliva

600 g de tomates cherry

150 ml de vino blanco

80 g de avellana molida

½ cucharadita de mejorana seca

Sal

Pimienta

600 g de lomo de gallineta
   nórdica

1 manojo de perejil

Precaliente el horno a 200 °C. Pele las cebollas y los ajos y píquelos bien. Lave el limón, séquelo, ralle la piel y resérvela. En una sartén, rehogue la cebolla y el ajo en 1 cucharada del aceite sin dejar que se doren.

Lave los tomates, quíteles el rabito y échelos enteros en la sartén. Rehóguelos un poco y vierta el vino. Tape la sartén y cuézalo a fuego lento unos 10 minutos.

Mientras tanto, mezcle la avellana con la mejorana y la ralladura de limón. Salpimiente. Lave el pescado, séquelo con papel de cocina y sazónelo. Córtelo en 4 trozos iguales y rebócelos por un lado con la mezcla de avellana.

Caliente el resto del aceite a fuego medio en una sartén anti-adherente, y fría los filetes de pescado brevemente por el lado rebozado. Deles la vuelta con cuidado, páselos a una fuente refractaria y déjelos en el horno precalentado unos 8 minutos.

Lave el perejil, sacúdalo para secarlo y píquelo. Sazone la salsa de tomate con el perejil, sal y pimienta. Sirva el pescado con la salsa y pan tostado.

Tiempo de preparación:
unos 30 minutos
Por ración, aprox.: 595 kcal/2491 kJ
37 g P, 29 g G, 39 g HC

Bacalao
EN LECHO DE CALABAZA

PARA 4 PERSONAS

500 g de calabaza espagueti
(solo la pulpa)
Mantequilla o aceite, para rehogar
Sal
Pimienta
½ cucharadita de cúrcuma molida
1 pizca de jengibre molido
1 pizca de cilantro molido
600 g de lomo de bacalao fresco
2 cucharadas de cilantro recién
picado

Para el líquido de cocción

300 ml de fondo de pescado
100 ml de vino blanco
1 hoja de laurel
1 guindilla roja
1 diente de ajo pelado
y en cuartos
Unas rodajas de lima

Tiempo de preparación:
unos 30 minutos
Por ración, aprox.: 193 kcal/809 kJ
27 g P, 6 g G, 6 g HC

Ralle la calabaza. Caliente mantequilla en una sartén a temperatura moderada y rehogue la calabaza unos 5 minutos removiendo constantemente. Condiméntela con sal, pimienta, la cúrcuma, el jengibre y el cilantro. Lave el bacalao bajo el chorro de agua fría.

Ponga todos los ingredientes para el líquido de cocción en una cazuela ancha y llévelo a ebullición. Baje el fuego, eche el pescado y déjelo cocer entre 5 y 8 minutos, según el tamaño de los trozos, sin dejar que el líquido arranque a hervir. Reparta la calabaza en platos, disponga el pescado sobre ella y sírvalo con el cilantro picado esparcido por encima.

→ VARIACIÓN: PURÉ DE CALABAZA CON MENTA

Corte 500 g de calabaza en dados. Lave 750 g de patatas harinosas, pélelas y córtelas también en dados. Ponga ambos ingredientes en una cazuela con sal y cúbralos con agua o caldo (si usa caldo, añada poca sal). Llévelo a ebullición, tape la cazuela y déjelo cocer a fuego lento unos 20 minutos, hasta que la calabaza y la patata estén tiernas. Después escúrralas y cháfelas para obtener un puré, y sazónelo con nuez moscada y pimienta. Monte 250 ml de nata e incorpórela al puré. Lave 1 ramita de menta y sacúdala para secarla; arranque las hojas, píquelas y mézclelas con el puré.

Bacalao con pasta
EN SALSA DE LIMÓN

Lave el bacalao, séquelo con papel de cocina y córtelo en trozos de unos 2 cm. Pele el tercio inferior de los espárragos, deseche los extremos leñosos y córtelos al bies en rodajitas. Limpie los tirabeques, lávelos y córtelos por la mitad. Cueza la pasta al dente en agua con sal siguiendo las instrucciones del envase y luego déjela escurrir.

Derrita la mantequilla en una sartén y rehogue las rodajitas de espárragos; salpiméntelas. Vierta el caldo y la nata agria, llévelo a ebullición y deje que hierva unos 3 minutos a fuego medio.

Agregue a la salsa los tirabeques, el pescado y la maicena, y déjelo cocer 4 o 5 minutos. Aderece esta mezcla con la ralladura y el zumo de limón y el azúcar. Mézclelo con la pasta y sírvalo.

PARA 4 PERSONAS

600 g de lomo de bacalao fresco
600 g de espárragos verdes
200 g de tirabeques
300 g de lazos de pasta
Sal
2 cucharadas de mantequilla
Pimienta
400 ml de caldo de verduras
6 cucharadas de nata agria
   espesa
1-2 cucharadas de maicena
1 limón de cultivo biológico
   (1 cucharadita de ralladura
   y 1-2 cucharadas del zumo)
1 pizca de azúcar

Tiempo de preparación:
unos 30 minutos
Por ración, aprox.: 631 kcal/2642 kJ
41 g P, 24 g G, 60 g HC

Espaguetinis
CON SALMÓN AL HINOJO

PARA 4 PERSONAS

400 g de lomo de salmón

Sal

50 g de bulbo de hinojo

8 dientes de ajo

5 cucharadas de aceite de oliva

300 g de espaguetinis

1 lima de cultivo biológico

Aceite, para engrasar

Precaliente el horno a 220 °C. Engrase una fuente refractaria con un poco de aceite. Corte el pescado en 4 trozos, sálelos y dispóngalos en la fuente.

Lave el hinojo y córtelo en láminas. Pele los ajos y pártalos por la mitad a lo largo. Esparza el hinojo y el ajo por encima del pescado, rocíelo todo con el aceite de oliva y hornéelo entre 10 y 15 minutos, hasta que el pescado esté hecho.

Mientras tanto, cueza los espaguetinis al dente en abundante agua con sal. Lave la lima con agua caliente y séquela; ralle la piel hasta obtener 1 cucharada y exprímala hasta obtener 2 cucharadas de zumo. Escurra la pasta, mézclela con la ralladura de lima y repártala en platos.

Disponga 1 trozo de salmón sobre cada lecho de pasta, reparta el jugo del asado por encima y rocíelo todo con el zumo de lima.

Tiempo de preparación:
unos 25 minutos (más el tiempo de cocción)
Por ración, aprox.: 800 kcal/3349 kJ
40 g P, 40 g G, 70 g HC

→ SUGERENCIA

Puede sustituir el salmón por otro tipo de pescado, como lucioperca o dorada.

Bacalao
CON BEICON Y SETAS

PARA 4 PERSONAS

4 rodajas de bacalao (de 170 g)

Sal

El zumo de ½ limón

100 g de beicon entreverado

100 g de setas shiitake

50 g de tomates secos en aceite

2 cucharadas de aceitunas negras
   deshuesadas

2 chalotes

30 g de mantequilla

1 cucharada de alcaparras

Pimienta

Lave el bacalao y séquelo con papel de cocina. Sálelo y rocíelo con el zumo de limón. Corte el beicon en trocitos. Limpie las setas frotándolas con un paño húmedo y córtelas en tiras finas. Corte del mismo modo los tomates secos, y las aceitunas en rodajas finas. Pele los chalotes y píquelos.

Caliente la mantequilla en una sartén y fría el pescado unos 4 minutos por cada lado a fuego medio, dándole la vuelta con cuidado. Retírelo de la sartén y resérvelo caliente.

Eche el beicon en la sartén y deje que suelte la grasa. Añada el chalote y las setas, y rehóguelos. Agregue después el tomate, las aceitunas y las alcaparras, y sazónelo al gusto con pimienta. Sirva el bacalao con la mezcla de beicon y setas.

Tiempo de preparación:
unos 30 minutos
Por ración, aprox.: 328 kcal/1373 kJ
35 g P, 19 g G, 4 g HC

→ SUGERENCIA

Las setas shiitake, también llamadas setas tonku o setas chinas, son aromáticas y de consistencia firme. Se pueden secar y utilizar como condimento.

Gambas
AL AJILLO

Caliente el aceite con la mantequilla a fuego fuerte en una cazuela. Pele los ajos, córtelos en láminas y échelos en la cazuela junto con las gambas. Saltéelo todo 4 o 5 minutos. Agregue el zumo de limón, el pimentón, la guindilla, sal y pimienta. Espolvoree las gambas con el perejil y sírvalas con una ensalada verde y acompañadas de pan.

→ VARIACIÓN

También puede saltear las gambas en el aceite hasta que cambien de color y servirlas con perejil esparcido por encima y acompañadas de salsa romesco. Para prepararla, caliente 2 cucharadas de aceite en una cazuela y rehogue 1 cebolla y 4 o 5 dientes de ajo picados, sin dejar que se doren. Añada 2 tomates pelados y picados, ½ cucharadita de guindilla en copos, ½ cucharadita de pimentón, 5 cucharadas de caldo de pescado y 2 o 3 cucharadas de vino blanco, y cuézalo a fuego lento 30 minutos. Pique y tueste 10 almendras, y mézclelas con 1 cucharada de vinagre de vino tinto y 1 cucharada de aceite de oliva hasta obtener una pasta. Incorpore esta pasta a la mezcla anterior.

> NOTA

El pimentón de la Vera es una especialidad originaria de la provincia de Cáceres, de sabor y aroma ahumados debido al proceso de secado de los pimientos al humo de encina. Da una nota singular tanto a platos de carne como de pescado u hortalizas.

PARA 4 PERSONAS

5 cucharadas de aceite de oliva

50 g de mantequilla

5 dientes de ajo

750 g de gambas limpias

4 cucharadas de zumo de limón

½ cucharadita de pimentón
   de la Vera

½ cucharadita de guindilla
   seca majada

Sal

Pimienta

4 cucharadas de perejil
   recién picado

Tiempo de preparación:
unos 10 minutos (más el tiempo de cocción)
Por ración, aprox.: 342 kcal/1432 kJ
36 g P, 19 g G, 4 g HC

Platija
CON GAMBITAS

PARA 4 PERSONAS

4 platijas

Sal

Pimienta

2 cucharadas de zumo de limón

50 g de harina

3 cucharadas de mantequilla
   clarificada

300 g de gambitas cocidas

2 cucharadas de eneldo
   recién picado

Lave las platijas y séquelas con papel de cocina. Quíteles
la cabeza, las aletas y la gruesa piel gris de uno de los lados,
dejando intacta la piel blanca. Salpiméntelas y rocíelas con
el zumo de limón.

Ponga la harina en un plato. Caliente la mantequilla en una
sartén. Reboce las platijas con la harina y sacuda el exceso.

Fríalas, de una en una y con el lado de la piel hacia abajo unos
3 minutos, hasta que estén crujientes. Luego deles la vuelta y
siga friéndolas otros 3 minutos a fuego medio. Sáquelas de
la sartén y resérvelas calientes en el horno.

Eche las gambitas en la sartén y caliéntelas. Disponga el pescado
en platos y reparta las gambitas por encima. Rocíelo todo con
un poco de la grasa que haya quedado en la sartén y esparza el
eneldo por encima. Acompañe este plato con patatas cocidas
o una ensalada tibia de patata.

→ NOTA

La platija es un pescado blanco plano que se pesca entre los meses
de mayo y julio. Los ejemplares que se obtienen en mayo se consideran
especialmente tiernos porque son los más jóvenes.

Tiempo de preparación:
unos 30 minutos
Por ración, aprox.: 295 kcal/1235 kJ
42 g P, 9 g G, 10 g HC

Salteado de espárragos
CON GAMBAS

Deje las setas en remojo en agua templada unos 10 minutos. Mientras tanto, pele las zanahorias y córtelas en bastoncillos. Pele también el tercio inferior de los espárragos y córtelos al bies en trocitos. Escalde los espárragos en agua con sal unos 5 minutos. Escurra bien las setas, recorte los pies duros y corte en tiras los sombreros.

Caliente el aceite en el wok. Pele los ajos y píquelos. Limpie la guindilla, quítele las semillas y píquela también. Rehogue la guindilla y el ajo unos instantes en el aceite caliente. Eche los espárragos, las setas y la zanahoria, y saltéelo todo unos 3 minutos sin dejar de remover.

Vierta en el wok el caldo de pollo y la salsa de ostras, y deje que se consuman. Incorpore las gambas y siga salteándolo todo 3 minutos más. Salpimiente. Puede acompañar este salteado con arroz blanco.

PARA 4 PERSONAS

6 setas shiitake
250 g de zanahorias
750 g de espárragos verdes
Sal
3 cucharadas de aceite de sésamo
2 dientes de ajo
1 guindilla roja fresca
200 ml de caldo de pollo
3 cucharadas de salsa de ostras
150 g de gambas peladas
Pimienta

→ SUGERENCIA

Este plato de primavera se puede enriquecer añadiendo cacahuetes o anacardos tostados. En lugar de gambas también se puede emplear un pescado cortado en tiras.

Tiempo de preparación: unos 20 minutos
Por ración, aprox.: 233 kcal/976 kJ
18 g P, 6 g G, 33 g HC

Lucioperca
CON LENTEJAS ROJAS

PARA 4 PERSONAS

150 g de lentejas rojas

2 chalotes

1 zanahoria grande

½ puerro

30 g de mantequilla

1 hoja de laurel

200 ml de caldo de verduras

600 g de lomo de lucioperca

100 g de beicon entreverado
   en lonchas

2 cucharadas de aceite de oliva

Sal

Pimienta

2 ramitas de tomillo

100 ml de nata líquida
   para montar

Sal marina

1 cucharadita de zumo de limón

Tiempo de preparación:
unos 30 minutos
Por ración, aprox.: 475 kcal/1989 kJ
42 g P, 25 g G, 22 g HC

Ponga las lentejas en un escurridor, lávelas y escúrralas. Pele los chalotes y píquelos. Lave la zanahoria, pélela y píquela. Lave el puerro, límpielo y píquelo también.

Caliente 1 cucharada de la mantequilla en una sartén. Eche el chalote, las lentejas, la zanahoria, el puerro y el laurel, y rehóguelos. Vierta el caldo y, cuando arranque a hervir, déjelo cocer a fuego lento unos 10 minutos.

Lave el pescado con agua fría, séquelo bien y córtelo en 4 trozos. Corte las lonchas de beicon en tiras finas.

Caliente la mantequilla restante junto con el aceite en otra sartén y fría los trozos de pescado por ambos lados 2 minutos. Salpiméntelos al gusto, retírelos de la sartén y resérvelos calientes.

Eche las tiras de beicon en la sartén y sofríalas hasta que queden crujientes. Lave el tomillo, sacúdalo para secarlo y arranque las hojitas. Poco antes de servir el plato, monte la nata y mézclela con las lentejas y el tomillo.

Aderécelo con sal marina, pimienta y el zumo. Sirva el pescado en un lecho de lentejas y reparta por encima el beicon con la grasa.

→ VARIACIÓN

Si utiliza lentejas verdes de Puy, rehogue el chalote en la mantequilla, añada las lentejas, el laurel y el caldo, y cuézalo a fuego lento 10 minutos. Eche las hortalizas preparadas y prosiga con la cocción 10 minutos.

Fideos salteados
CON GAMBAS Y PIÑA

Rocíe los fideos con agua hirviendo y escúrralos. Pique muy bien el limoncillo.

Caliente los dos aceites en el wok y rehogue la cebolleta brevemente. Eche las gambas, y después vierta la salsa de pescado y el vinagre blanco.

Pele la piña, quítele el troncho duro del centro y córtela en dados.

Eche la piña en el wok, a continuación los aros de guindilla y saltéelo todo unos instantes. Por último, añada los fideos, mézclelo todo bien y sírvalo.

PARA 4 PERSONAS

250 g de fideos de arroz
1 tallo de limoncillo
2 cucharadas de aceite vegetal
1 cucharada de aceite de sésamo
1 manojo de cebolletas,
   en rodajitas
300 g de gambas limpias
2 cucharadas de salsa de pescado
2 cucharadas de vinagre blanco
   de arroz
½ piña
2 guindillas rojas frescas, en aros

Tiempo de preparación:
unos 30 minutos
Por ración, aprox.: 476 kcal/1993 kJ
25 g P, I0 g G, 66 g HC

CARNE

Solomillo en salsa de champiñones

Albóndigas crujientes

Pasta con huevo, jamón y beicon

Filete Stroganoff en salsa de champiñones

Salteado de tortillas con chorizo

Carne picada con col china

Hamburguesas griegas de cordero

Pechuga de pavo con lichis

Escalopes rebozados con salsa de setas

Espaguetis con tiras de pollo

Filetes de cerdo con spaetzle

Albóndigas con espárragos verdes

Pollo con fideos en salsa de cacahuete

Tortilla de calabacín con jamón

Ñoquis con jamón al horno

Hamburguesas a la jardinera

Crema de maíz con albóndigas de ternera

Albóndigas con queso de oveja

Tallarines gratinados con salami y jamón

Solomillo
EN SALSA DE CHAMPIÑONES

PARA 4 PERSONAS

600 g de puntas de solomillo
Sal
Pimienta
200 g de champiñones marrones
Harina
6-7 cucharadas de aceite
100 ml de coñac
400 ml de nata líquida
1 manojo de cebollino

Corte la carne en medallones y salpimiéntelos. Limpie los champiñones con un paño húmedo y córtelos en láminas.

Reboce la carne con harina, sacúdala para eliminar el exceso y fríala en una sartén uniformemente con el aceite bien caliente. Sáquela de la sartén y resérvela.

A continuación, saltee los champiñones en la grasa que haya quedado en la sartén y resérvelos. Vierta el coñac en la sartén y llévelo a ebullición. Vierta la nata y los jugos que haya soltado la carne reservada, y deje que la mezcla se reduzca.

Vuelva a poner la carne y los champiñones en la sartén y salpimiéntelo al gusto. Reparta la mezcla en los platos, trocee el cebollino y espárzalo por encima antes de servirlos.

Tiempo de preparación:
unos 25 minutos
Por ración, aprox.: 644 kcal/2696 kJ
38 g P, 48 g G, 9 g HC

Albóndigas
CRUJIENTES

PARA 4 PERSONAS

2 panecillos del día anterior

1 cebolla

1 diente de ajo

5 cucharadas de aceite

250 g de carne picada de buey

250 g de carne picada de cerdo

1 huevo

1 cucharadita de hojitas de
   mejorana recién picadas

1 cucharada de perejil
   recién picado

Sal

Pimienta

Tiempo de preparación:
unos 15 minutos (más el tiempo
de cocción)
Por ración, aprox.: 490 kcal/2052 kJ
31 g P, 31 g G, 21 g HC

Ponga a remojar los panecillos en agua. Pele la cebolla y el ajo, y píquelos. Caliente 2 cucharadas del aceite en una sartén y rehogue la cebolla hasta que se empiece a dorar. Eche el ajo majado y rehóguelo brevemente. Deje que se enfríe.

Mezcle toda la carne picada con el ajo, la cebolla y el huevo. Exprima bien el pan con las manos y mézclelo con la masa de carne. Incorpore las hierbas y salpimiéntelo. Por último, amase bien todos los ingredientes.

Forme bolitas de masa y aplánelas un poco con las manos. Fríalas en el aceite restante bien caliente, después baje el fuego y siga friéndolas de 6 a 8 minutos.

→ CONSEJOS

Las albóndigas son uno de los platos más populares. En esta receta le proponemos una variante crujiente y deliciosa que se sale de lo convencional. Las albóndigas (tiernas o crujientes, con o sin salsa) siempre están ricas, pero no olvide que la carne picada se estropea con rapidez y que la debe utilizar el día que la haya comprado. Si desea que las albóndigas tengan una textura aún más fina, vuelva a pasar la carne por la picadora en casa.

Pasta con huevo,
JAMÓN Y BEICON

Cueza la pasta al dente, siguiendo las instrucciones del envase, en una olla con abundante agua con sal. Pele la cebolla y el ajo, y píquelos.

Corte el jamón y el beicon en trocitos. Caliente el aceite en una sartén y rehogue la cebolla, el ajo, el jamón y el beicon.

Bata los huevos con el queso y sazone la mezcla con sal, pimienta y pimentón.

Escurra bien la pasta. Mézclela con el huevo batido y échela en la sartén sobre la mezcla de jamón y beicon. Remuévalo bien para evitar que se pegue y deje que el huevo cuaje. Sirva la pasta adornada con perejil picado.

PARA 4 PERSONAS

500 g de pasta del tipo
  que prefiera
Sal
1 cebolla
1 diente de ajo
150 g de jamón cocido
150 g de beicon ahumado
2 cucharadas de aceite
2 huevos
75 g de emmental recién rallado
Pimienta
Pimentón
Perejil picado, para adornar

Tiempo de preparación:
unos 15 minutos
Por ración, aprox.: 875 kcal/3663 kJ
35 g P, 10 g G, 95 g HC

Filete Stroganoff
EN SALSA DE CHAMPIÑONES

PARA 4 PERSONAS

400 g de champiñones

2 pepinillos

Sal

Pimienta

4 filetes de cadera de buey
   (de 200 g)

2 cucharadas de aceite de oliva

2 cebollas

50 g de mantequilla

4 cucharadas de brandy

300 ml de nata líquida

4 cucharadas de kétchup

2 cucharaditas de mostaza
   poco picante

1 cucharadita de pimienta roja
   molida, al gusto (opcional)

Limpie los champiñones y córtelos en cuartos. Pique los pepinillos. Salpimiente los filetes. Caliente el aceite en una sartén y fría los filetes por ambos lados 3 o 4 minutos a fuego vivo; sáquelos de la sartén y resérvelos calientes.

Pele las cebollas y píquelas. Caliente la mantequilla en otra sartén y rehogue la cebolla junto con los champiñones. Vierta el brandy, remueva un poco, añada la nata y cuézalo 1 minuto. A continuación, agregue el pepinillo picado, el kétchup y la mostaza, y deje que hierva de nuevo. Sazónelo al gusto con sal, pimienta y la pimienta roja. Sirva los filetes con la salsa de champiñones y acompañados de patatas fritas o arroz.

Tiempo de preparación:
unos 30 minutos
Por ración, aprox.: 648 kcal/2713 kJ
46 g P, 47 g G, 8 g HC

Salteado de tortillas
CON CHORIZO

PARA 4 PERSONAS

300 g de chorizo

8 tortillas de maíz

1 cebolla

3 dientes de ajo

1 guindilla verde

4 ramitas de cilantro

2 tomates grandes

1 aguacate

Un poco de zumo de lima

100 g de queso cheddar

8 huevos

4 cucharadas de aceite de oliva

1 pizca de azúcar

Sal

Pimienta

200 g de nata fresca espesa

Corte el chorizo en rodajas finas. Trocee las tortillas con un cuchillo o con las manos. Pele la cebolla y los ajos, y píquelos. Parta la guindilla por la mitad, límpiela, lávela y píquela también.

Lave el cilantro, sacúdalo para secarlo y pique las hojitas. Lave los tomates, quíteles las semillas y córtelos en daditos. Parta el aguacate por la mitad, deshuéselo, pélelo y córtelo en dados de 1 cm. Rocíelo enseguida con zumo de lima para que no se oscurezca y resérvelo. Ralle el queso y bata los huevos.

Caliente el aceite a fuego medio en una sartén grande y saltee las tortillas con el chorizo hasta que estén dorados y crujientes. Agregue la cebolla, el ajo y la guindilla, y sofríalo todo unos 3 minutos. Incorpore después el cilantro, el tomate y el azúcar, y prosiga con la cocción otros 3 minutos.

Vierta en la sartén el huevo batido, salpiméntelo y no deje de remover hasta que el huevo haya cuajado. Sirva el salteado con la nata mezclada con el cheddar rallado y el aguacate.

Tiempo de preparación:
unos 30 minutos
Por ración, aprox.: 1074 kcal/4497 kJ
39 g P, 91 g G, 32 g HC

Carne picada
CON COL CHINA

Pele el ajo y píquelo. Lave los pimientos, quíteles las semillas y córtelos en dados. Limpie las cebolletas, lávelas y córtelas al bies en trozos grandes. Lave la col, límpiela y córtela en juliana.

Caliente el aceite en una sartén o en el wok y sofría la carne picada 5 minutos sin dejar que se apelmace. A continuación, añada el ajo, el pimiento y la cebolleta, y rehóguelo todo removiendo de vez en cuando. Añada la col china y rehóguela 2 minutos. Sazone la mezcla con sal, pimienta, pimentón dulce y la salsa de soja. Lave el cilantro, sacúdalo para secarlo, pique las hojas e incorpórelas a la preparación.

PARA 4 PERSONAS

1 diente de ajo
1 pimiento rojo
1 pimiento amarillo
½ manojo de cebolletas
400 g de col china
3 cucharadas de aceite
400 g de carne picada
   (mitad cerdo, mitad ternera)
Sal
Pimienta
Pimentón dulce
5 cucharadas de salsa de soja
½ manojo de cilantro

 SUGERENCIA

Puede preparar esta receta con carne picada de cordero o carne de pollo cortada en dados muy pequeños. También puede variar las hortalizas a su gusto. Y si desea un plato más completo, añádale antes de servirlo 250 g de pasta cocida.

Tiempo de preparación:
unos 20 minutos
Por ración, aprox.: 302 kcal/1264 kJ
21 g P, 21 g G, 5 g HC

Hamburguesas griegas
DE CORDERO

PARA 4 PERSONAS

Para las hamburguesas

1 panecillo del día anterior
Unos 120 ml de leche templada
1 diente de ajo
1 chalote
600 g de carne picada de cordero
2 huevos
Sal y pimienta
1 cucharadita de orégano
100 g de queso feta
4 panecillos para hamburguesa

Para la guarnición

¼ de lechuga iceberg
1 tomate carnoso
50 g de aceitunas negras
50 g de queso feta
100 g de yogur griego
1 diente de ajo picado
Sal y pimienta
Hojas de perejil

Tiempo de preparación:
unos 30 minutos
Por ración, aprox.: 768 kcal/3215 kJ
43 g P, 39 g G, 45 g HC

Trocee el panecillo, déjelo en remojo en la leche 10 minutos y luego exprímalo bien con las manos. Pele el ajo y májelo. Pele el chalote y píquelo. Mezcle en un bol estos ingredientes preparados junto con la carne y los huevos. Condiméntelo con sal, pimienta y el orégano, y resérvelo.

Corte el queso feta en 4 trozos iguales. Con las manos húmedas, forme 4 bolas de masa. Introduzca 1 trozo de feta en cada una y deles forma de hamburguesa. Áselas por ambos lados en la plancha 4 o 5 minutos. Abra los panecillos por la mitad y tuéstelos bajo el gratinador del horno por el lado del corte.

Para preparar la guarnición, limpie la lechuga, lávela y trocee las hojas con las manos. Corte el tomate y las aceitunas en rodajas. Chafe el feta con un tenedor y mézclelo con el yogur y el ajo. Salpimiente la salsa.

Sobre la mitad inferior de cada panecillo, ponga un poco de lechuga, luego las hamburguesas y encima más lechuga y salsa de yogur. Cúbralo todo con rodajas de tomate y adórnelo con las rodajas de aceitunas y unas hojas de perejil. Por último, coloque las mitades superiores de los panecillos y sírvalos.

Pechuga de pavo
CON LICHIS

PARA 4 PERSONAS

4 pechugas de pavo

3 chalotes

5 cebolletas

1 plátano

12 lichis frescos

4 cucharadas de aceite de maíz

1 cucharadita de curry en polvo

El zumo de 1 naranja

100 ml de crema de coco

Sal

1 cucharadita de cayena molida

2 cucharadas de cilantro
 recién picado

Corte las pechugas en tiras perpendiculares a las fibras de la carne. Pele los chalotes y córtelos en rodajas. Limpie las cebolletas, lávelas, córtelas por la mitad a lo largo y luego en trozos grandes. Pele el plátano y córtelo en dados. Pele los lichis y quíteles el hueso.

Caliente 2 cucharadas del aceite de maíz en el wok y saltee la carne de modo uniforme hasta que esté hecha. Sáquela del wok y resérvela. Caliente en el wok el resto del aceite y sofría el chalote con la cebolleta 1 minuto. A continuación, añada el curry, el zumo de naranja y la crema de coco; remueva bien y deje que hierva.

Eche en el wok el plátano, los lichis y el pavo con sus jugos, y caliéntelo todo bien sin dejar de remover. Sazónelo con sal y la cayena, y sírvalo con el cilantro esparcido por encima.

Tiempo de preparación:
unos 35 minutos
Por ración, aprox.: 356 kcal/1491 kJ
23 g P, 18 g G, 24 g HC

Escalopes rebozados
CON SALSA DE SETAS

Lave los filetes, séquelos con papel de cocina y aplástelos un poco con la maza para carne. Salpimiéntelos.

Bata los huevos en un plato hondo; eche la harina en otro plato hondo, y el pan rallado en un tercero. Caliente la mantequilla en una sartén.

Reboce los filetes con la harina y páselos primero por el huevo y luego por el pan rallado. Fríalos por ambos lados 6 o 7 minutos, sáquelos de la sartén y resérvelos calientes.

Para preparar la salsa, limpie las setas, lávelas, séquelas con papel de cocina y córtelas en trocitos. Pele la cebolla y píquela. Rehogue las setas con la cebolla unos 5 minutos en la grasa que haya quedado en la sartén. Espolvoree la mezcla con la harina y vierta el caldo de carne. Agregue el fondo de ternera y deje que la salsa se reduzca y se espese. Salpimiente. Sirva los escalopes con la salsa de setas y acompañados de patatas fritas.

PARA 4 PERSONAS

Para los escalopes rebozados

4 filetes de cerdo
Sal
Pimienta
2 huevos
4 cucharadas de harina
100 g de pan rallado
2 cucharadas de mantequilla
  clarificada

Para la salsa de setas

500 g de setas silvestres variadas
1 cebolla
2 cucharadas de harina
100 ml de caldo de carne
350 ml de fondo de ternera
Sal
Pimienta

Tiempo de preparación:
unos 30 minutos
Por ración, aprox.: 420 kcal/1758 kJ
42 g P, 12 g G, 32 g HC

Espaguetis
CON TIRAS DE POLLO

PARA 4 PERSONAS

400 g de espaguetis

Sal

400 g de pechuga de pollo
   deshuesada

2 cebollas

2 dientes de ajo

2 cucharadas de aceite de oliva

450 g de tomate troceado
   (en conserva)

3 cucharadas de nata líquida

30 g de parmesano recién rallado

Pimienta

3 cucharadas de albahaca
   recién picada

En una olla grande, cueza los espaguetis al dente en agua con sal. Lave el pollo bajo el chorro de agua fría, séquelo y córtelo en tiras finas.

Pele las cebollas y los ajos, y píquelos. Caliente el aceite en una sartén y saltee las tiras de pollo a fuego fuerte. Añada el ajo y la cebolla, y saltéelos un poco.

Agregue el tomate con su jugo, luego la nata, y cuézalo a fuego medio 2 o 3 minutos. Incorpore el parmesano y salpiméntelo.

Escurra los espaguetis y mézclelos con la salsa de tomate y pollo. Sírvalos con la albahaca esparcida por encima.

Tiempo de preparación:
unos 30 minutos
Por ración, aprox.: 723 kcal/3027 kJ
47 g P, 20 g G, 88 g HC

Filetes de cerdo
CON SPAETZLE

PARA 4 RACIONES

1 puerro

200 g de castañas
  (cocidas y al vacío)

3 cucharadas de aceite vegetal

Sal

Pimienta

200 ml de nata líquida

400 g de spaetzle
  (pasta fresca de huevo)

8 filetes pequeños de cerdo
  (de unos 80 g)

Tiempo de preparación:
unos 15 minutos (más el tiempo
de cocción)
Por ración, aprox.: 530 kcal/2219 kJ
41 g P, 26 g G, 25 g HC

Parta el puerro por la mitad a lo largo, lávelo bien bajo el chorro de agua fría y córtelo en tiras finas.

Corte las castañas en cuartos. Caliente 1 cucharada del aceite en una sartén y rehogue el puerro unos 4 minutos. Eche las castañas y salpiméntelo. Agregue la nata y deje que hierva a fuego lento unos 5 minutos.

Mientras tanto, cueza la pasta siguiendo las instrucciones del envase. Si fuera necesario, vierta un poco del líquido de cocción en la sartén con el puerro. A continuación, escurra la pasta, échela en la sartén y remuévalo todo bien.

Lave los filetes bajo el chorro de agua fría, séquelos con papel de cocina y salpiméntelos. Caliente el resto del aceite en otra sartén y fría la carne a fuego vivo. Dispóngala sobre la mezcla de pasta con puerro y déjelo reposar todo unos 5 minutos.

Repártalo en platos y sírvalo bien caliente. Puede acompañarlo con una ensalada verde con champiñones y daditos de beicon.

→ VARIACIÓN

En lugar de castañas también puede emplear setas frescas, por ejemplo, rebozuelos. Para ello, limpie 400 g de rebozuelos con un paño de cocina. Pártalos por la mitad, o en cuartos si fueran demasiado grandes, y añádalos al puerro en lugar de las castañas.

Albóndigas
CON ESPÁRRAGOS VERDES

Lave los espárragos, péleles el tercio inferior, deseche los extremos leñosos y píquelos. Pele el chalote y píquelo también. Lave el perejil, sacúdalo para secarlo y pique las hojas.

Ponga la carne picada en un bol junto con los espárragos, el chalote, el perejil, el huevo y el pan rallado. Salpimiéntelo y amáselo todo bien.

Caliente aceite en una sartén. Forme bolitas de masa, aplánelas un poco con las manos y fríalas por ambos lados unos 3 minutos. A continuación, baje el fuego y deje que se terminen de hacer.

PARA 4 PERSONAS

250 g de espárragos verdes

1 chalote

½ manojo de perejil

250 g de carne picada
   (mitad cerdo, mitad ternera)

1 huevo

1 cucharada de pan rallado

Sal

Pimienta

Aceite, para freír

Tiempo de preparación:
unos 20 minutos (más el tiempo
de cocción)
Por ración, aprox.: 240 kcal/1005 kJ
16 g P, 17 g G, 6 g HC

Pollo con fideos
EN SALSA DE CACAHUETE

PARA 4 PERSONAS

400 g de fideos chinos

Sal

3 cucharadas de aceite

1 huevo

3 cucharaditas de maicena

Pimienta

600 g de pechuga de pollo
   deshuesada

200 g de tirabeques

250 g de calabacines

1 cebolla

1 diente de ajo

3 cucharaditas de azúcar

2 cucharadas de miel

7 cucharadas de salsa de soja

3 cucharadas de crema
   de cacahuete

1 lata de tomate troceado (425 g)

Guindilla molida

100 ml de nata líquida

Tiempo de preparación:
unos 30 minutos
Por ración, aprox.: 872 kcal/3651 kJ
60 g P, 31 g G, 93 g HC

Cueza los fideos en una olla con abundante agua con sal siguiendo las instrucciones del envase. Escúrralos y vuelva a echarlos en la olla. Mézclelos con 1 cucharada del aceite y resérvelos calientes.

Mientras tanto, mezcle el huevo con la maicena y salpimiéntelo generosamente. Lave el pollo, séquelo con papel de cocina, córtelo en dados y páselos por la mezcla de huevo.

Despunte los tirabeques y lávelos. Lave los calabacines, límpielos, pártalos por la mitad a lo largo y luego en láminas. Pele la cebolla y el ajo, y píquelos bien.

Reparta el aceite restante entre dos sartenes y caliéntelo. Saltee el pollo en una de ellas a fuego vivo, sáquelo de la sartén y resérvelo. Eche el azúcar en la grasa que haya quedado, deje que se caramelice y vierta la miel, 200 ml de agua y 5 cucharadas de la salsa de soja. Lleve la salsa a ebullición y cuézala a fuego lento unos 5 minutos. Vuelva a echar el pollo en la sartén y agítela para que se empape bien de salsa.

En la otra sartén, rehogue la cebolla junto con el ajo. Agregue la crema de cacahuete y el resto de la salsa de soja. Incorpore el tomate, y sazone la mezcla con sal y guindilla molida. Añada el calabacín y cuézalo a fuego lento unos 2 minutos. Agregue los tirabeques y la nata, y prosiga con la cocción de 3 a 5 minutos. Mezcle los fideos con la salsa de tomate y el pollo y sírvalos.

Tortilla de calabacín
CON JAMÓN

PARA 4 PERSONAS

4 cucharadas de aceite de oliva

400 g de calabacines

2 cebollas

120 g de jamón cocido

12 huevos

Sal

Pimienta

300 g de yogur

1 pizca de pimienta

2 cucharaditas de cebollino
   recién picado

Caliente el aceite en una sartén. Limpie y lave los calabacines y pele las cebollas; corte ambos ingredientes en rodajas finas y rehóguelos brevemente en la sartén. Corte el jamón en tiras finas, échelas en la sartén y rehóguelas también.

Bata los huevos y salpiméntelos. Vierta el huevo sobre las hortalizas y el jamón, tape la sartén y cuézalo a fuego medio entre 5 y 8 minutos, hasta que cuaje.

Dele la vuelta a la tortilla y deje que se dore por el otro lado 1 o 2 minutos. A continuación, déjela enfriar un poco y córtela en 8 triángulos.

Mezcle el yogur con la pizca de pimienta y ponga la salsa resultante en un cuenco. Esparza el cebollino por encima de la tortilla y sírvala con la salsa de yogur.

Tiempo de preparación:
unos 30 minutos
Por ración, aprox.: 720 kcal/3014 kJ
34 g P, 44 g G, 46 g HC

Ñoquis con jamón
AL HORNO

Cueza los ñoquis al dente siguiendo las instrucciones del envase.

Caliente 400 ml de agua. Eche el queso rallado y remueva para que se derrita. Añada el caldo en polvo y sazónelo con sal, pimienta y nuez moscada. Reserve la salsa.

Corte el jamón en daditos, mézclelos con los ñoquis ya escurridos y páselo todo a una fuente refractaria previamente engrasada. Vierta la salsa de queso por encima.

Hornee los ñoquis unos 15 minutos a 200 °C.

PARA 4 PERSONAS

800 g de ñoquis frescos

175 g de emmental rallado

1 cucharadita de caldo de verduras en polvo

Sal

Pimienta

Nuez moscada recién rallada

175 g de jamón cocido

Mantequilla, para engrasar

Tiempo de preparación: unos 20 minutos (más el tiempo de cocción)
Por ración, aprox.: 930 kcal/3894 kJ
45 g P, 20 g G, 137 g HC

Hamburguesas
A LA JARDINERA

PARA 4 PERSONAS

Para las hamburguesas

1 panecillo del día anterior

Unos 120 ml de leche templada

100 g de beicon entreverado
   ahumado

600 g de carne picada de buey

1 cebolla picada

2 huevos

1 cucharadita de mostaza picante

2 cucharadas de cebollino picado

Sal

Pimienta

4 panecillos de centeno

Para la guarnición

4 hojas de lechuga grandes

1 manojo de rabanitos

½ pepino

4 cucharadas de nata agria

2 cucharadas de hojitas de eneldo

Tiempo de preparación:
unos 30 minutos
Por ración, aprox.: 664 kcal/2780 kJ
46 g P, 38 g G, 36 g HC

Trocee el panecillo, déjelo remojar en la leche 10 minutos y luego exprímalo bien con las manos. Pique el beicon y sofríalo en una sartén hasta que quede crujiente. Mezcle en un bol el pan con el beicon, la carne, la cebolla, los huevos, la mostaza y el cebollino. Salpimiente al gusto.

Con las manos húmedas, forme 4 hamburguesas con la masa y áselas en la plancha 3 o 4 minutos por cada lado. Abra los panecillos por la mitad y tuéstelos bajo el gratinador del horno por el lado del corte.

Para preparar la guarnición, lave las hojas de lechuga y sacúdalas para secarlas. Lave los rabanitos, límpielos y córtelos en rodajas finas. Pele el pepino y córtelo también en rodajas.

Sobre cada una de las mitades inferiores de los panecillos, ponga 1 hoja de lechuga, encima 1 cucharada de nata agria y sobre esta 1 hamburguesa. Cúbralas con rodajas de rabanito y de pepino, y adórnelas con hojitas de eneldo. Coloque encima las mitades superiores de los panecillos y sirva las hamburguesas.

Crema de maíz
CON ALBÓNDIGAS DE TERNERA

PARA 4 PERSONAS

4 mazorcas de maíz cocidas

600 g de patatas harinosas

1 cebolla

2 cucharadas de aceite de oliva

1,3 litros de caldo de carne

1 sobrecito de hebras de azafrán

4-8 cucharadas de nata líquida

1 chorrito de zumo de limón

Sal

Pimienta

2 salchichas frescas de ternera
  (de unos 200 g)

Perejil picado, para servir

Separe los granos de maíz de las mazorcas. Lave las patatas, pélelas y trocéelas. Pele la cebolla y píquela bien.

Caliente el aceite en una olla y rehogue la cebolla sin dejar que llegue a dorarse. Eche el maíz y la patata, y rehóguelo todo brevemente. Vierta el caldo y llévelo a ebullición; tape la olla y cuézalo a fuego lento unos 10 minutos.

Saque 2 cucharadas de caldo y ponga a remojar en él el azafrán. Vierta el líquido resultante en la olla y tritúrelo todo. Aderece la crema con la nata, el zumo de limón, sal y pimienta.

Vaya sacando de las salchichas porciones de carne de unos 2 cm y forme albóndigas con ellas. Échelas en la crema y cuézalas 5 minutos. Esparza perejil picado sobre la crema de maíz con albóndigas y sírvala.

Tiempo de preparación:
unos 30 minutos
Por ración, aprox.: 755 kcal/3161 kJ
37 g P, 49 g G, 41 g HC

Albóndigas
CON QUESO DE OVEJA

Forme albóndigas con la carne picada. Caliente el aceite en una sartén y fría las albóndigas uniformemente unos 3 minutos. Sáquelas de la sartén y resérvelas calientes.

Pele la cebolla y el ajo, píquelos y rehóguelos en la grasa que haya quedado en la sartén. Añada el tomate con su jugo y deje que se reduzca un poco. Sazónelo con sal, pimienta y las hierbas de Provenza. Eche las albóndigas en la salsa.

Corte el queso en lonchas finas y dispóngalas sobre las albóndigas. Gratínelas hasta que el queso se haya derretido. Puede servirlas acompañadas de arroz.

PARA 4 PERSONAS

400 g de carne de cerdo picada
   y con especias
2 cucharadas de aceite
1 cebolla
1 diente de ajo
400 g de tomate troceado
   (en conserva)
Sal
Pimienta
1 cucharada de hierbas
   de Provenza
100 g de queso de oveja

→ SUGERENCIA

En lugar de carne de cerdo, también puede preparar las albóndigas con la misma cantidad de carne picada de ternera o de cordero. Así mismo, puede incorporar a la masa 1 cebolla bien picada, sal, pimienta, un poco de pimentón y 1 huevo.

Tiempo de preparación:
unos 20 minutos
Por ración, aprox.: 345 kcal/1444 kJ
22 g P, 27 g G, 2 g HC

Tallarines gratinados
CON SALAMI Y JAMÓN

Cueza los tallarines al dente, siguiendo las instrucciones del envase, en abundante agua con sal. Mientras tanto, limpie las espinacas y lávelas bien. Pele las cebollas y píquelas. Limpie los champiñones y córtelos en cuartos. Corte el salami en trocitos y el jamón, en dados.

Derrita la mantequilla en una cazuela y rehogue la cebolla sin dejar que se dore. Eche las espinacas y deje que se ablanden. Añada los champiñones, el salami y el jamón, y rehóguelo todo unos 5 minutos sin dejar de remover. Salpimiente.

Caliente el gratinador del horno a la temperatura máxima. Escurra los tallarines, échelos en la olla y remuévalos bien con la mezcla de espinacas. Páselo a una fuente refractaria, esparza el queso rallado por encima y gratínelo unos 5 minutos.

PARA 4 PERSONAS

250 g de tallarines

Sal

500 g de espinacas

2 cebollas

150 g de champiñones

Un trozo de salami de 100 g

150 g de jamón cocido

1 cucharada de mantequilla

Pimienta

100 g de queso gouda rallado

Mantequilla, para engrasar

Tiempo de preparación: unos 30 minutos
Por ración, aprox.: 626 kcal/2621 kJ
29 g P, 30 g G, 57 g HC

ÍNDICE DE RECETAS